MARCO POLO

VIAJERO DEL ORIENTE

Esta edición en lengua española fue creada a partir del original de Ediciones Quartz por
Uribe y Ferrari Editores, S.A. de C.V.
Av. Reforma No. 7-403 Ciudad Brisa,
Naucalpan, Estado de México,
México, C.P. 53280
Tels. 53 64 56 70 • 53 64 56 95
correo@correodelmaestro.com

ISBN: 968 5142 27 0 (Colección)
ISBN: 968 5142 29 7 (Marco Polo)

Traducción al español: Correo del Maestro y Ediciones La Vasija con la colaboración de
Leonardo Martínez
Cuidado de la edición: Correo del Maestro y Ediciones La Vasija

Los creadores y editores de este volumen agradecen su amable autorización para usar materiales de ilustración a:
Portada: imagen principal, Helen Jones/ otras imágenes: Bridgeman Art Archive, Bibliothèque Nationale, Paris/
Bridgeman Art Library, Musée Guimet, Paris/ The Art Archive, Bibliothèque Nationale, Paris/ Mary Evans Picture
Library/ M. Louvet, Impact; Contraportada: Bridgeman Art Library/ AKG, Musée Guimet, Paris/ AKG, Museo Civico
Correr, Venice/ AKG, Bibliothèque Nationale, Paris/ Bodleian Library , Oxford/ Tony Stone Images; 5 t Bridgeman Art
Library, Bibliothèque Nationale, Paris/ c Bridgeman Art Library, Musée Guimet, Paris/ b Mary Evans Picture Library;
6 t The Art Archive/ c Bridgeman Art Library, Museo Correr, Venice/ b The Art Library; 7 Helen Jones; 8 t Ancient Art &
Architecture Collection/ b The Art Archive, Bibliothèque Nationale, Paris/ 10 t Bridgeman Art Archive, Bibliothèque
Nationale, Paris/ c Bodleian Library, Oxford/ b The Art Archive, Bibliothèque Nationale, Paris; 11 t, c Tony Stone
Images/ b Impact; 14 Tony Stone Images; 15 t, b AKG; 16 t Bodleian Library, Oxford/ c, t Tony Stone Images/ c, b The
Art Archive, Musée Condé, Chantilly/ b Bridgeman Art Library, Bibliothèque Nationale, Paris; 17 t The Art Archive/ b
Tony Stone Images; 18 t Bodleian Library, Oxford/ b Bridgeman Art Library, Johannesburg Art Gallery; 19 t Bridgeman
Art Library, British Library, London/ c, b Bodleian Library, Oxford; 20 b Bridgeman Art Library; 21 Mary Evans
Picture Library/ c, b Bodleian Library, Oxford; 22 t Werner Forman Archive, Museo Correr, Venice/ b Bridgeman Art
Library; 23 t Impact/ b The Art Library, Bibliothèque Nationale, Paris; 24 t Bridgeman Art Library/ c Ancient Art &
Architecture Collection/ b Bodleian Library; 25 t Bridgeman Art Library; 26 t Bridgeman Art Library, Bibliothèque
Nationale, Paris/ b Mary Evans Picture Library; 27 t Robert Harding Picture Library/ c Bodleian Library, Oxford/ b,
Bridgeman Art Library; 28 t Bridgeman Art Library, Makins Collection/ b Bridgeman Art Library; 30 t Bridgeman Art
Library/ b The Art Archive, Bibliothèque Nationale, Paris; 32, 33 t Bodleian Library, Oxford; 33 b, 34 t Mary Evans
Picture Library, b Bridgeman Art Library, Topkapi Palace Museum, Istanbul; 35 t Bridgeman Art Library, Bibliothèque
Nationale, Paris; c Bridgeman Art Library/ b AKG, Museo Correr, Venice; 36 The Art Archive,/ c Bridgeman Art
Library, Museo Correr, Venice/ b Bridgeman Art Library; 38 t Tony Stone Images/ b P. Patenall; 39 t Croatian Tourist
Board/ c, b The Art Archive, Golestan Palace, Teheran; 40 Tony Stone Images; 42 Bridgeman Art Library, Bibliothèque
Nationale, Paris/ 43 Helen Jones
Claves: t=arriba, c=centro, b=abajo

Este libro se terminó de imprimir y encuadernar en Pressur Corporation, S.A.
C. Suiza, R.O.U., en el mes de octubre de 2004. Se imprimieron 3000 ejemplares.

GRANDES EXPLORADORES

MARCO POLO

VIAJERO DEL ORIENTE

KEREN GEFEN

CORREO DEL MAESTRO • EDICIONES LA VASIJA

CONTENIDO

MARCO POLO SE ATREVIÓ A EXPLORAR LAS TIERRAS ASIÁTICAS QUE SEGUÍAN SIENDO UN MISTERIO PARA LOS EUROPEOS DE SU ÉPOCA. LUEGO COMPARTIÓ SUS EXPERIENCIAS EN UN LIBRO CONOCIDO COMO *LOS VIAJES DE MARCO POLO,* LLENO DE VÍVIDAS DESCRIPCIONES DE LOS LUGARES Y PERSONAS QUE CONOCIÓ EN ASIA.

Marco Polo transportaba su cargamento por barco y en camellos para, después, intercambiarlo por otros productos.

Marco Polo conoció personas de diversas religiones, incluyendo seguidores de las enseñanzas de Buda.

Marco Polo fue recibido en la corte de Kublai Khan, el gobernante del Imperio Mongol.

En 1271, Marco Polo viajó a China con su padre y su tío y conoció a Kublai Khan, el gran emperador mongol. Durante los siguientes 25 años, Marco Polo realizó numerosas expediciones a petición del khan, para quien reunió muchísima información sobre su propio imperio, así como objetos de valor chinos, indios y de otras regiones de Asia.

Tras regresar a Venecia, narró sus experiencias en un libro muy interesante llamado *Los viajes de Marco Polo,* que ha sido muy leído y conocido hasta nuestros días. No obstante, sus contemporáneos pusieron en tela de juicio la veracidad de sus relatos.

Hoy en día, se tiene la seguridad de que Marco Polo fue un gran explorador. De hecho, es casi seguro que fuese el primer europeo en llegar a algunas de las regiones más lejanas y misteriosas de Asia en su época. Tuvo contacto cercano con personas de diversas partes de Oriente, lo cual le permitió aprender y apreciar costumbres y tradiciones muy diferentes a las suyas. Así, al compartir sus experiencias con otros europeos, acercó las culturas orientales a Occidente.

MARCO POLO, MERCADER Y VIAJERO

Marco Polo a los 12 años, según una de las muchas copias de su obra (aprox. 1500 d.C.).

MARCO POLO, RECORDADO HOY POR SUS FABULOSOS VIAJES A TRAVÉS DE ASIA, Y POR EL LIBRO EN QUE LOS RELATA, AFIRMABA HABER VISITADO MÁS LUGARES QUE NINGÚN OTRO HOMBRE.

Marco Polo nació en 1254, en Venecia, Italia. Todos sus parientes eran comerciantes ricos y exitosos, respetados por la comunidad. Poseían una lujosa casa en Venecia, tiendas y almacenes en el visitado puerto de Curzola (hoy en Croacia) y en Sudak, importante centro de comercio internacional al norte del Mar Negro.

Como otros comerciantes venecianos, los hombres de la familia Polo casi siempre estaban de viaje. Iban al este a negociar con mercaderes de Arabia, Siria, Irak, Persia (Irán) y otros países del Asia Central, que vendían a los europeos cosas valiosas —sedas, joyas y especias— traídas desde India y China.

La madre de Marco Polo murió poco después de que en 1260 su padre Niccolo y su tío Maffeo iniciaran un largo viaje. Así, su tía se hizo cargo de él: contrató tutores para que lo educaran y aprendió a leer y escribir en otros idiomas, además del véneto, su lengua natal, pues en Italia se hablaban varias lenguas. Por otra parte, los asistentes de su padre le enseñaron a manejar el

En sus viajes, Marco Polo halló gente de muy diversas culturas, entre ellas a los tártaros, que vivían en el sur de Rusia.

Venecia, Italia, en los tiempos de Marco Polo controlaba la navegación en el Mar Mediterráneo. El comercio con Bizancio (Estambul), Asia Central y Medio Oriente enriqueció a sus ciudadanos.

> **Mi libro está dedicado a todas las personas que desean conocer las diferentes razas humanas y las peculiaridades de varias regiones del mundo.**

negocio familiar. Pero ¿quién podía asegurarle que su padre y su tío volverían?

Marco Polo no supo nada de ellos durante casi diez años, hasta que volvieron a Venecia, sanos y salvos. Contaron algo fantástico: un noble emisario de Kublai Khan, el emperador mongol, los había ayudado a escapar de una guerra civil en la que se vieron atrapados. Por gratitud, lo acompañaron hasta China para conocer al khan, el más poderoso gobernante del mundo. Querían regresar a China cuanto antes; Kublai Khan les había pedido que llevaran a su corte algunos predicadores católicos y santos óleos. Pero lo más emocionante era que Marco Polo iría con ellos.

Cuando Marco Polo llegó a ser adulto, ya era un mercader muy competente. Podía llevar cuentas, leer y escribir francés e italiano.

La casa de los Polo, en Venecia, ha sobrevivido por 700 años. Como las de otros mercaderes, también servía de almacén para guardar productos valiosos, y de tienda para vender éstos y otros objetos traídos de muy lejos.

Esta ilustración se encuentra en una de las primeras copias del libro de Marco Polo. En ella aparecen él, su padre y su tío, ya dispuestos a iniciar el viaje a China, en 1271.

EL VIAJE A CHINA

Niccolo, Maffeo y Marco Polo estaban listos para viajar a China desde tres años antes, pero salieron en 1271; al principio iban con ellos dos sabios misioneros católicos, pero éstos, al verse atrapados en medio de una zona de guerra, desistieron del viaje.

Para llegar a China, los Polo siguieron una red de senderos irregulares y caminos de camellos llamada la Ruta de la Seda, durante más de mil años frecuentada por mercaderes y viajeros como ellos. Esta ruta los guió a través de Armenia, Georgia, Persia y Afganistán; cruzaron las montañas Pamir y los desiertos de Takla Makan y Gobi y, al cabo de tres años de viaje, llegaron a Shang-Tu, capital del Imperio Mongol.

Kublai Khan recordaba a Niccolo y a Maffeo y los recibió cordialmente en su corte, lo mismo que a Marco Polo, que enseguida demostró ser muy inteligente, de modo que el khan pronto le ofreció trabajo. Había muchos

¿SABÍAS QUE...?

LOS MONGOLES PROCEDÍAN DE ASIA CENTRAL. EN EL SIGLO XIII CONQUISTARON UN GRAN IMPERIO, QUE SE EXTENDÍA DESDE HUNGRÍA HASTA COREA. DURANTE EL REINADO DE KUBLAI KHAN (1279-1294) TOMARON CONTROL DE CHINA, QUE ERA ENTONCES LA CIVILIZACIÓN MÁS DESARROLLADA DEL MUNDO.

 Si este joven vive, llegará a ser una persona de vasto conocimiento y gran valía.

KUBLAI KHAN

extranjeros trabajando para el khan en China; confiaba que seguirían sus órdenes con más lealtad que los chinos, a quienes había conquistado.

Marco Polo pasó 17 años en misiones para Kublai Khan. Recabó información en toda China y en las tierras aledañas, y fungió como inspector fiscal superior. Su padre y su tío también trabajaron para el imperio, ayudando a los ingenieros militares a diseñar máquinas de guerra. El emperador pagó bien sus servicios y pronto se hicieron muy ricos.

En 1290, comenzaron a pensar en volver a Europa. El emperador mongol estaba viejo y enfermo, y temían que el nuevo gobernante no

fuera tan amigable. Primero el emperador no los dejaba ir, pero necesitaba hombres de su confianza para escoltar a una princesa mongola hasta Persia y, finalmente, en 1292, los Polo abandonaron China.

DE VUELTA A CASA

El regreso fue terrible. Viajaron por mar, pues la Ruta de la Seda estaba bloqueada por la guerra. Tardaron dos años en llegar a Persia, navegando por el mar de China y el Océano Índico. Llegaron a Venecia en 1295, cuando sus familiares ya los habían dado por muertos.

Sin embargo, Marco Polo aún tuvo otras aventuras. Tres años más tarde fue capturado en una lucha de Venecia contra su ciudad rival, Génova. En prisión, conoció a Rusticello, un famoso autor de libros de caballería. Marco Polo le contó sobre sus aventuras y juntos escribieron el famoso libro acerca de sus viajes.

Marco Polo fue liberado en 1299 y pasó el resto de su vida con su familia. Se casó y tuvo tres hijas.

Cronología

1254
Marco Polo nace en Venecia, Italia.

1260
El padre y el tío de Marco Polo van al Mar Negro y los atrapa una guerra civil. Se dirigen al este, hacia China.

1269
El padre y el tío regresan a Venecia tras conocer a Kublai Khan, el emperador mongol.

1271
Marco Polo parte de Venecia, con su padre y su tío.

1274 (o 1275)
Los Polo llegan a la corte de Kublai Khan en China.

1275-1292
Marco Polo trabaja para el Khan y viaja por el imperio.

1292
Los Polo inician el viaje de regreso, y escoltan a una princesa mongola a Persia.

1295
Los Polo llegan a Venecia.

1298
Marco Polo es capturado en una guerra.

1298-1299
Marco Polo conoce en prisión al escritor Rusticello. Juntos planean un libro sobre sus viajes.

1324
Marco Polo muere a los 70 años de edad.

LA RUTA DE LA SEDA

En tiempos de Marco Polo era preferible viajar por mar. En tierra no había caminos pavimentados y eran escasos los puentes o señalamientos, pero los bandidos abundaban.

En una región, Marco Polo vio un puente de piedra de 2000 pasos de largo. Servía de mercado, como se muestra en la ilustración.

Cuando la Ruta de la Seda cruzaba un desierto, los viajeros, en lugar de caballos o mulas, montaban camellos, pues sobrevivían bajo condiciones difíciles.

La Ruta de la Seda unió Asia y Europa por más de mil años; gracias a ella prosperó el comercio internacional y se difundieron las ideas.

Hacia el año 500 a.C., la red de senderos conocida como la Ruta de la Seda fue recorrida a pie, en animales o en carretas por sabios, maestros religiosos y oficiales de gobierno. Sus misiones incluían comerciar y establecer contactos entre países de Europa y Asia.

Hasta donde se sabe, los primeros en recorrerla fueron viajeros chinos, de este a oeste. Hacia el año 400 d.C., monjes de India llevaron por ella el budismo a China. Después del año 800, musulmanes de Medio Oriente introdujeron por ella el islam en Asia Central. El primer europeo en recorrerla fue el predicador católico Giovanni de Piano Carpini, en 1245 (más de 25 años antes que Marco Polo), que fue de Italia a Mongolia.

Aún así, Marco Polo fue de los primeros europeos que

viajaron de oeste a este a China por la Ruta de la Seda. Sin embargo, pocos hacían viajes tan largos. La mayoría sólo viajaba de una ciudad a otra, donde encontraban vendedores y compradores de diferentes tierras.

CIUDADES DE LA RUTA

En la época de Marco Polo, muchas de las ciudades de la ruta ya eran importantes centros de comercio. Los mercaderes construían almacenes y locales para exhibir sus productos en establecimientos cerrados. En esas ciudades compraban monedas extranjeras a los cambistas, contrataban guías, intérpretes y escoltas armados para preparar la siguiente etapa del viaje y se proveían de reservas. También se reunían a comer, beber y concretar negocios en posadas u hosterías, llamadas caravasares.

En un caravasar, los mercaderes podían dormir y bañarse. Además, había establos para caballos, camellos y mulas. Los bienes de los mercaderes estaban seguros en un caravasar.

CAMINO ARDUO

ALTAS MONTAÑAS

Para llegar a China, Marco Polo escaló elevadas cadenas montañosas, como las Pamir, en Afganistán. También enfrentó laderas escarpadas, sufrió el frío extremo y percibió los efectos de la falta de oxígeno: los fogones no ardían bien ni la comida se cocía del todo, aunque ignoraba las causas científicas de este fenómeno.

ESPACIOS VASTOS

La mayor parte del noreste de Asia es una enorme meseta sin árboles, con praderas azotadas por el viento, donde la temperatura suele ser bajísima. Ahí vivían los mongoles; como los de hoy, eran nómadas, vivían en yurtas o gers (casas móviles), una estructura de madera cubierta con fieltro. Eran jinetes expertos y guerreros temibles que, para sobrevivir, criaban caballos, ovejas y cabras.

DESIERTOS TEMIBLES

La ruta de Marco Polo hacia el este cruzó algunos de los desiertos más inhóspitos del mundo, como el Takla Makan, que en turco significa: Ve allí y no saldrás con vida.

Muchos viajeros aseguraban ver espejismos en el Takla Makan, los cuales tentaban a los viajeros a desviarse de su ruta, y se perdían para siempre.

De acuerdo con Marco Polo, otros desiertos también eran peligrosos. Decía que algunos estaban encantados y que se oían aullidos por las noches. En otros, la arena se movía todo el tiempo con el viento, lo cual confundía y desorientaba a los viajeros, pues cubría sus pisadas.

¿SABÍAS QUE...? DESDE SU EXTREMO ORIENTAL EN XI'AN (XIANG, CHINA) HASTA SU EXTREMO OESTE EN EL MAR MEDITERRÁNEO, LA RUTA DE LA SEDA SE EXTENDÍA POR MÁS DE 4800 KILÓMETROS. EN MUCHOS PUNTOS CRUZABA SENDEROS SECUNDARIOS QUE CONDUCÍAN A CIUDADES IMPORTANTES.

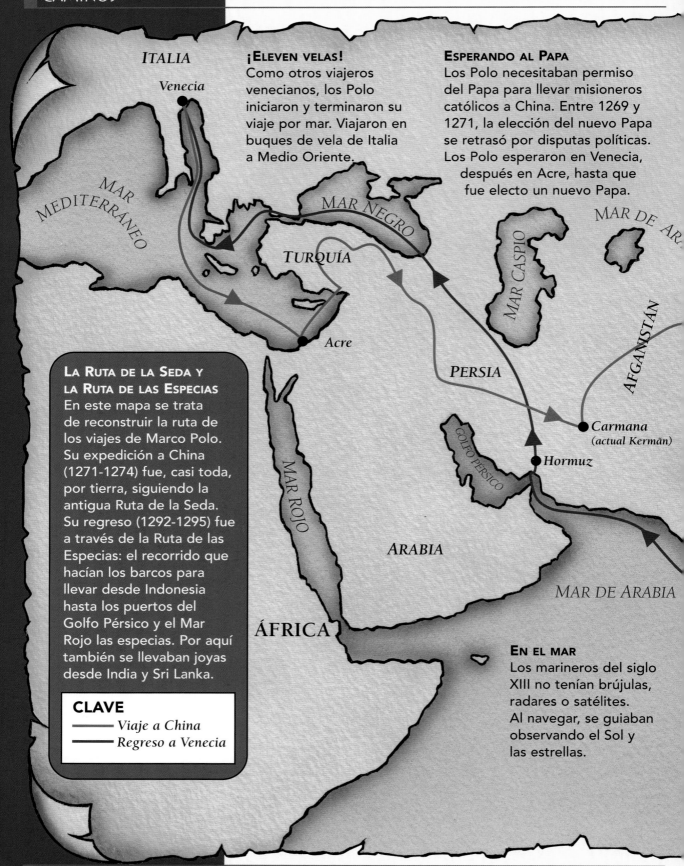

ITALIA

Venecia

¡ELEVEN VELAS!
Como otros viajeros venecianos, los Polo iniciaron y terminaron su viaje por mar. Viajaron en buques de vela de Italia a Medio Oriente.

ESPERANDO AL PAPA
Los Polo necesitaban permiso del Papa para llevar misioneros católicos a China. Entre 1269 y 1271, la elección del nuevo Papa se retrasó por disputas políticas. Los Polo esperaron en Venecia, después en Acre, hasta que fue electo un nuevo Papa.

MAR MEDITERRÁNEO

MAR NEGRO

MAR DE AR...

MAR CASPIO

TURQUÍA

Acre

PERSIA

AFGANISTÁN

LA RUTA DE LA SEDA Y LA RUTA DE LAS ESPECIAS
En este mapa se trata de reconstruir la ruta de los viajes de Marco Polo. Su expedición a China (1271-1274) fue, casi toda, por tierra, siguiendo la antigua Ruta de la Seda. Su regreso (1292-1295) fue a través de la Ruta de las Especias: el recorrido que hacían los barcos para llevar desde Indonesia hasta los puertos del Golfo Pérsico y el Mar Rojo las especias. Por aquí también se llevaban joyas desde India y Sri Lanka.

Carmana
(actual Kermān)

GOLFO PÉRSICO

Hormuz

MAR ROJO

ARABIA

MAR DE ARABIA

ÁFRICA

EN EL MAR
Los marineros del siglo XIII no tenían brújulas, radares o satélites. Al navegar, se guiaban observando el Sol y las estrellas.

CLAVE
— *Viaje a China*
— *Regreso a Venecia*

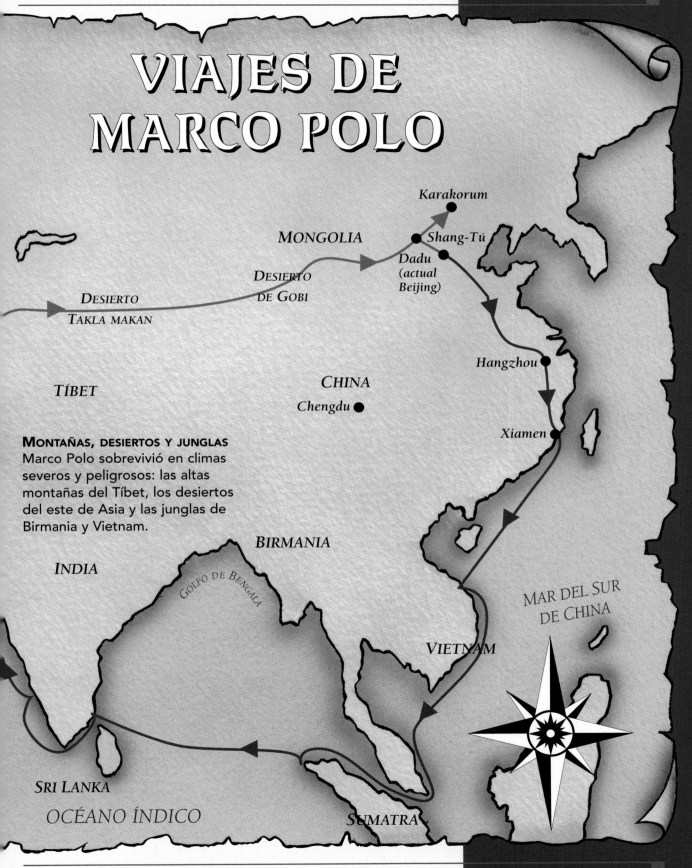

VIAJES DE MARCO POLO

Karakorum

MONGOLIA

Shang-Tú

Dadu (actual Beijing)

DESIERTO DE GOBI

DESIERTO TAKLA MAKAN

TÍBET

CHINA

Chengdu

Hangzhou

Xiamen

MONTAÑAS, DESIERTOS Y JUNGLAS
Marco Polo sobrevivió en climas severos y peligrosos: las altas montañas del Tíbet, los desiertos del este de Asia y las junglas de Birmania y Vietnam.

BIRMANIA

INDIA

GOLFO DE BENGALA

MAR DEL SUR DE CHINA

VIETNAM

SRI LANKA

OCÉANO ÍNDICO

SUMATRA

Las especias asiáticas
–clavo, canela, nuez
moscada, jengibre– eran
muy apreciadas como
saborizantes y medicinas.

Los chinos dominaron la
fabricación de seda por el
año 3000 a.C. Guardaron
el secreto y decían a los
extranjeros que crecía en
los árboles. Marco Polo
informó que, en verdad,
el hilo se obtenía del
gusano de seda.

COMERCIO Y TESOROS

AUNQUE EL COMERCIO INTERNACIONAL
ERA RIESGOSO, MERCADERES COMO
MARCO POLO VIAJABAN POR EL MUNDO
CON LA ILUSIÓN DE HACER FORTUNA.

Los viajes prolongados, por tierra o por mar, eran muy duros y peligrosos. Los viajeros encontraban bandidos, piratas, traficantes de esclavos, etcétera. En las ciudades, podían ser presa de estafadores o de los ladrones que asaltaban las tiendas.

Había bastantes peligros mortales. De acuerdo con Marco Polo, muchos de sus compañeros murieron en el norte de Irak, a manos de ladrones kurdos. En su libro incluyó muchas advertencias sobre 'hombres sin ley', para prevenir a futuros viajeros.

También advirtió sobre riesgos para la salud. Por ejemplo, decía que el agua de los oasis del desierto persa era verde y amarga: tan sólo un sorbo causaba fuertes molestias estomacales.

> ❝ *En esta isla [Sri Lanka] había rubíes maravillosos… también zafiros, topacios, amatistas, granates y muchas otras piedras preciosas.* ❞

Otro peligro eran las enfermedades. El mismo Marco Polo enfermó de malaria, a causa de las picaduras de los mosquitos. Se recuperó después de varios meses de descanso, respirando el aire fresco de las montañas afganas.

RIQUEZAS Y RAREZAS

A pesar de tantos peligros, los mercaderes seguían viajando por la Ruta de la Seda. Algunas expediciones se desviaban de la vía principal para explorar los países por los que pasaban. Estaban dispuestos a arriesgar sus vidas por obtener grandes riquezas.

Los productos con los que comerciaban europeos y asiáticos eran raros, exóticos y muy valiosos. La seda china era el artículo más conocido; pero los consumidores en Europa y Medio Oriente también deseaban joyas, especias, medicinas, cerámica y alfombras. A cambio, los mercaderes traían ropa de lana, fruta seca, coral mediterráneo y vidrio.

MONEDAS Y BILLETES

Los mercaderes solían hacer trueque en sus negocios, pero si no tenían nada que intercambiar, usaban monedas de plata y oro. Los dinares, metal acuñado por los poderosos gobernantes musulmanes de Medio Oriente, eran muy aceptados. No obstante, Marco Polo generalmente empleaba los ducados, monedas de oro y de plata acuñadas en su natal Venecia.

Cuando los viajeros llegaban a las fronteras del imperio de Kublai Khan eran obligados a cambiar parte de su dinero por papel moneda. El papel moneda fue un invento mongol y el khan quería que se empleara en todo el imperio. Aunque era más fácil de usar, más llevadero y menos escandaloso que el oro y la plata, era menos resistente y no era aceptado en todos lados como ahora, a pesar de los severos castigos que Kublai Khan imponía a quienes se rehusaban a emplearlo.

DE CHINA

Trabajando para Kublai Khan, Marco Polo visitó el sureste de China, una región famosa por su cerámica. En su libro, Marco Polo describió, admirado, el inusual brillo de los jarrones azules. Los ceramistas chinos importaban cobalto de Medio Oriente para el elegante vidriado de sus jarrones y tazones. Este jarrón está decorado con un dragón, tradicional símbolo chino de una vida larga y del poder real.

DESDE INDIA

Marco Polo visitó India dos veces y mencionó en su libro las diferentes especies que encontró. Muchas de éstas eran exportadas a China, donde eran usadas por la gente o vendidas a los mercaderes ambulantes. Según Marco Polo, cada día llegaban 43 carretadas de pimienta india a la ciudad china de Hangzhou. Cada carretada pesaba 100 kilogramos.

Marco Polo explicó cómo se extraían las perlas de las ostras en la costa este de India. Los buzos contenían la respiración mientras nadaban hasta el lecho marino por las ostras.

En Sumatra, Indonesia, Marco Polo dijo haber visto un unicornio, aunque quizás era un rinoceronte.

RELATOS DE VIAJEROS

Era común que los exploradores trataran de impresionar a la gente con crónicas acerca de las maravillas y misterios que habían visto en sus viajes. Algunos de esos relatos eran ciertos, pero otros inventados para engañar o divertir. Los mercaderes debían discernir con astucia si un relato era cierto o no, o podían perder su tiempo buscando países y tesoros imaginarios. Pero no siempre era fácil saber la verdad. Incluso Marco Polo fue engañado por alguna de esas fantásticas aventuras.

¿HOMBRES O BESTIAS?

En su libro, Marco Polo afirmaba haber oído acerca de hombres con cara de perro que vivían en las islas Andaman, en el Océano Índico, y de hombres con cola en Sumatra (Indonesia); de enormes piedras que se movían por sí solas en Asia Central; de magos indios que impedían que los tiburones mordieran, y de gallinas con pelo en lugar de plumas en China. Marco Polo escribió también sobre pozos de aceite, cometas, bambúes, cocos y elefantes... En fin, cosas que la mayoría de los europeos nunca habían visto.

Los mercaderes, de vuelta en Europa, para aumentar sus ventas contaban relatos fascinantes; si eran falsos o verdaderos, a sus ansiosos clientes les importaba poco.

DIGNO DE UN REY

Las piedras preciosas de China, India y las regiones cercanas eran los

Esta ilustración es de una edición del siglo XV del libro de Marco Polo. Muestra un barco cargado con un elefante y un camello. Tanto animales como personas parecen casi tan grandes como el barco.

objetos más valiosos para los mercaderes europeos. Las alhajas, las túnicas y las coronas llevaban diamantes, rubíes, zafiros y topacios. Las cubiertas de los libros sagrados y los crucifijos en las iglesias eran decorados con piedras preciosas.

Los monarcas, la nobleza y los líderes de la Iglesia eran los principales compradores de seda, especias y otros bienes de lujo traídos por la Ruta de la Seda, pues eran las únicas personas que podían adquirirlos.

MINA DE DIAMANTES

En el libro de Marco Polo hay varias referencias a la manera en que ciertos pueblos recolectaban el oro y las piedras preciosas para venderlos. Uno de los relatos más extraordinarios es sobre la forma en que se recolectaban los diamantes en el sur de India. Marco Polo aseguraba que se utilizaban águilas para recoger los diamantes de un valle hundido e infestado por serpientes venenosas. La gente tiraba carne cruda a la

MARCO POLO ESCRIBIÓ SOBRE UN RUBÍ DEL REY DE SRI LANKA. CREÍA QUE ERA EL MÁS GRANDE DEL MUNDO. ERA TAN GRANDE COMO LA MANO DE UNA PERSONA, TAN GRUESO COMO SU BRAZO Y TENÍA UN "BRILLO TAN ROJO COMO EL FUEGO". EL MERCADER VENECIANO QUISO COMPRARLO, PERO SU OFERTA FUE RECHAZADA.

ladera y los diamantes se adherían a ésta. Entonces las águilas se arrojaban en picada al valle y agarraban la carne. Al cazarlas en pleno vuelo, las aves soltaban la carne y, ya sin problemas, se recogían los diamantes.

PERFUME MORTAL

Marco Polo también describió cómo se obtenían otros productos. En su visita al Tíbet, por ejemplo, vio venados almizcleros. El almizcle es un líquido pegajoso producido por una glándula en el abdomen del venado, una esencia penetrante e ingrediente básico de los perfumes.

Los tibetanos entrenaban perros para cazar venados, de los cuales después extraían la glándula que produce el almizcle.

Aunque eran rumores, según Marco Polo, en India se usaban águilas para recolectar diamantes.

Se contaban muchas historias sobre cómo la gente recolectaba los diamantes para venderlos. Marco Polo recopiló algunas de éstas en su libro.

> **En cierta ciudad, todos los hombres tenían los dientes cubiertos de oro, pero los de las mujeres eran naturales.**

Marco Polo escuchó en Asia Central, en boca de cuentistas musulmanes, relatos de un verdadero paraíso terrenal.

PERSONAS, LUGARES E IDEAS

EN SUS VIAJES MARCO POLO ENCONTRÓ CIVILIZACIONES, COSTUMBRES Y RELIGIONES QUE LE ERAN DESCONOCIDAS Y QUE LE PARECIERON ENIGMÁTICAS Y ASOMBROSAS.

Antes de llegar a la corte de Kublai Khan, Marco Polo ya sabía un poco sobre aquellas tierras. Durante el viaje, su padre y su tío le contaron sus anteriores aventuras. Sin embargo, nada se comparaba con vivirlas en persona. En su libro, Marco Polo demuestra cuán asombrado y emocionado estaba por lo que vio en su viaje.

Como muchos europeos, no tenía una idea muy clara de los diferentes tipos de pueblos y estilos de vida en otras partes del mundo. Marco Polo escribió que el sur de India era "totalmente diferente de nuestras tierras, más grande y más hermoso".

LAS PERSONAS

Marco Polo sentía curiosidad por la apariencia de las personas. Describió con gran detalle su ropa, su cabello, su rostro y su físico. Registró la costumbre mongola de llevar dos abrigos en invierno (uno

A Marco Polo le sorprendió encontrar comunidades católicas en la costa oeste de India. Las tradiciones locales decían que la fe de Cristo fue llevada a India por Santo Tomás.

> *En los jardines del paraíso de Aladino crecen todo tipo de frutas y en los arroyos corre agua dulce, leche, vino y miel.*

Marco Polo no creyó conveniente creer los informes sobre un pájaro monstruoso de Madagascar. Se decía que podía cargar a un elefante.

con la piel hacia dentro, y otro, hacia fuera) para protegerse del frío implacable. También mencionó los taparrabos usados en países cálidos, como India donde, por el calor, se ponían poca ropa .

En Yunnan (China) vio personas con los dientes cubiertos de oro y la piel tatuada. En Etiopía conoció africanos con la cara decorada con cicatrices, que eran consideradas 'insignias de dignidad'.

Admiraba la belleza de las mujeres del sur de China y de Cachemira, en especial de las segundas. Le sorprendió ver que las afganas usaban pantalones (algo no visto en Europa). Según Marco Polo, usaban pantalones amplios con pliegues para hacer creer que tenían caderas anchas: los afganos apreciaban y

cortejaban más a las mujeres robustas.

Marco Polo admiraba la fuerza, el valor y la habilidad de los bárbaros. Elogiaba a los mongoles por ser "guerreros fieros, valientes y osados". Decía que los mongoles eran "los mejores para el esfuerzo intenso y las penurias prolongadas".

El pintor europeo que hizo esta ilustración no tenía idea de cómo era la gente fuera de Europa.

En esta miniatura europea del siglo XV, el pintor quiso retratar una corte asiática; sin embargo, viste al estilo europeo.

NUEVAS CREENCIAS, NUEVAS IDEAS

Durante sus viajes, Marco Polo conoció ideas religiosas diferentes a las suyas. Algunas eran antiguas, como el zoroastrismo (Persia, 1000 a.C.) y el hinduismo (2000 a.C.). Los zoroástricos adoraban a *Ahura Mazda*, el 'Sabio Señor'; los indios honraban a *Brahma*, el 'Espíritu'. También la fe tradicional de los mongoles era antigua. Entre otros, le rezaban a *Tengri*, 'Dios del cielo', y a *Itugan*, 'Diosa de las cosas que crecen'. En India y Sri Lanka, Marco Polo halló discípulos de Buda, el 'Iluminado', un líder religioso que vivió alrededor del año 500 a.C.

En China, Marco Polo conoció a unos seguidores de Kongfuzi (Confucio) y Laozi (Lao-Tse), dos sabios preceptores. Kongfuzi y Laozi vivieron en el siglo VI a.C. Los budistas, confucionistas y los seguidores de Laozi no adoraban a ningún dios: seguían el buen ejemplo de sus maestros.

Sólo había una fe relativamente nueva: el islam, predicada por el profeta Mahoma hacia el año 600 d.C., y que en tiempos de Marco Polo se extendía por el norte de África y Medio Oriente. Los musulmanes le rezan a *Allah*, 'Dios', y según el *Corán*, están emparentados con judíos y católicos, pues descienden del mismo pueblo y respetan por igual a Abraham, Moisés y Jesús.

En la época de Marco Polo ya se había creado la Inquisición (1183) y casi todos los líderes católicos europeos eran intolerantes con otras creencias. Sin embargo, Marco Polo tenía una mente abierta, no criticó ni condenó a otros. Al contrario, siempre tuvo curiosidad e interés por saber más.

En Persia, Marco Polo encontró templos y altares donde los seguidores de la antigua religión del zoroastrismo se reunían a rezar y meditar frente a sus fuegos sagrados, ya que el fuego era el símbolo de su fe.

En algunas de las sociedades visitadas por Marco Polo no había médicos. En su lugar, había magos que bailaban para limpiar el cuerpo del paciente de espíritus malignos y alejarlos; incluso, a veces se sacrificaban carneros para ayudar a los enfermos.

Marco Polo quedó muy impresionado con los ciudadanos de Hangzhou. Escribió que eran honestos, amantes de la paz, trabajadores, dedicados a su familia, hospitalarios y que siempre estaban dispuestos a compartir su hogar con los extranjeros y a aconsejarlos. Sin embargo, con algunos tuvo diferencias. Decía que en Tadjikistán (Tajakastán) la gente era "mala de cabo a rabo". Aunque criticaba los comportamientos que lo perturbaban o molestaban, al parecer no gozaba de prejuicios étnicos, religiosos o culturales.

ESTILOS DE VIDA

Marco Polo describió los estilos de vida de la gente que conoció. En los desiertos secos y polvorientos de Medio Oriente, por ejemplo, los granjeros cultivaban dátiles, algodón, caña de azúcar, naranjas y albaricoques en los oasis. También escribió sobre pueblos de India donde se cultivaba arroz y se tejía "una de las telas más finas del mundo".

En Asia Central notó que las mujeres hacían el trabajo pesado y los hombres tenían tiempo para ir de cacería o combatir. Se percató de que cada mongol podía tener muchas esposas y que todas vivían en "armonía y unidad loables". Marco Polo quedó asombrado del tamaño, la riqueza y el refinamiento de las ciudades chinas, con sus murallas de piedra, calles pavimentadas, puentes anchos, parques y lagos hermosos; admiraba el orden en el suministro de agua dulce, el amplio surtido de los mercados, la vigilancia nocturna y las brigadas contra incendios.

Marco Polo admiraba las enseñanzas budistas y la vida virtuosa de Buda. Decía que, de haber sido cristiano Buda, hubiera sido santo.

Marco Polo afirmaba que en Sumatra descubrió cómo se hacían los 'monstruos'. Los lugareños secaban y trasquilaban monos muertos para que parecieran humanos.

Marco Polo describió la famosa tumba de un rey birmano. Fue construida "como un signo de su grandeza y para el bien de su alma". La descripción de Marco Polo inspiró esta pintura europea del siglo XV.

En el transcurso de los siglos, Marco Polo se ha vuelto un símbolo de los lazos entre Europa y Asia. Esta estatua de Marco Polo fue hecha por un artista asiático.

Durante las guerras entre cristianos y musulmanes, los pacíficos barcos mercantes como éste eran atacados en el Mar Mediterráneo.

EMBAJADORES INTERNACIONALES

EN LA CORTE DE KUBLAI KHAN, MARCO POLO CUMPLIÓ MISIONES DIPLOMÁTICAS Y DE INFORMACIÓN PARA PROTEGER Y AMPLIAR EL IMPERIO MONGOL.

El padre y el tío de Marco Polo conocieron a Kublai Khan en 1265, cuando huían de las guerras de Asia Central con un noble mongol. Los sorprendió gratamente que Kublai·Khan los recibiera en su corte. Los Polo esperaban recibir sólo comida y hospedaje, una tradición celosamente honrada en esas partes del mundo. También esperaban ser recibidos con curiosidad, sospecha e, inclusive, hostilidad por el khan y su gente, dadas su apariencia y su lengua. Los Polo decían ser los primeros europeos occidentales que el khan había visto. Quizá no, pero Kublai Khan no sabía mucho sobre las civilizaciones al oeste del Mar Negro.

Los cristianos creen que Jesús fue enterrado en el lugar donde está la iglesia del Santo Sepulcro, en Jerusalén. El khan pidió a los Polo óleos de las lámparas encendidas allí.

INTERÉS POR APRENDER

Kublai Khan era un hombre inteligente y se interesaba por muchas cosas. A diferencia de los primeros conquistadores mongoles, se preocupaba por aprender acerca de la cultura, las creencias y las tradiciones de la gente que vivía en las tierras que conquistaba (en especial la antigua civilización china).

El khan invitaba a pensadores, eruditos, artistas y líderes religiosos de todo su imperio a visitarlo en su corte. Les preguntaba sobre sus ideas y elogiaba sus logros. Cuando el padre y el tío de Marco Polo llegaron sorpresivamente a su corte, se percató de que era su oportunidad de saber más sobre Europa y el cristianismo.

La madre del khan había pertenecido a una rama pequeña y poco conocida de la Iglesia cristiana en el este de Asia. Con el paso del tiempo, había perdido contacto con el resto de la cristiandad, así

que el khan les pidió a los Polo que volvieran a Europa y dieran sus saludos amistosos al Papa. Quería que el Papa le enviara cien eruditos y predicadores cristianos para que él y los religiosos de su corte pudieran aprender más sobre su religión. El khan era un gran coleccionista de tesoros y les pidió a los Polo que le trajeran un regalo sagrado especial: un poco de los óleos que ardían en las lámparas de la iglesia erigida en el lugar donde fue enterrado Jesús, cerca de Jerusalén.

FINES POLÍTICOS

Kublai Khan tenía otra razón para recibir a los Polo: quería establecer alianzas con los líderes europeos en contra de los gobernantes musulmanes de Medio Oriente. Por más de 200 años había habido guerras en Medio Oriente por el control del territorio alrededor de Jerusalén, conocidas por los cristianos como Cruzadas. Como hoy, Jerusalén era considerada ciudad sagrada por musulmanes,

EL PAPADO

- El Papa era líder de los cristianos del occidente de Europa y cabeza de la Iglesia Católica Romana. En tiempos de Marco Polo, todos los europeos occidentales eran católicos romanos, aún no había iglesias protestantes.

- En tiempos de Marco Polo, el Papa era una figura política poderosa, además de líder espiritual. Gobernaba gran parte de Italia y aconsejaba a reyes y príncipes de Europa. Entre 1096 y 1291, los Papas alentaron a los cristianos europeos a pelear contra los musulmanes para controlar Tierra Santa (cerca de Jerusalén, en Medio Oriente), en las guerras llamadas Cruzadas.

- El papa Gregorio X gobernó de 1271 a 1276 y apoyó la expedición de los Polo para visitar a Kublai Khan. Quería establecer una alianza con los mongoles para pelear contra los ejércitos musulmanes de Medio Oriente.

En este vitral de colores se representa a Marco Polo y un miembro de su tripulación que lleva cargas al barco.

Los soldados mongoles conquistaron un vasto imperio entre 1200 y 1300 d.C. Los ejércitos leales a líderes mongoles rivales peleaban entre ellos.

Representación de Kublai Khan por un pintor europeo del siglo XV. El khan les da pasaportes de oro al padre y al tío de Marco Polo, durante su primera visita.

judíos y cristianos y cada uno recelaba de la religión de los otros.

Estas diferencias religiosas ocultaban grandes rivalidades políticas entre gobernantes de Medio Oriente y Europa. Los bizantinos (cristianos) gobernaban Grecia, Turquía, Bulgaria y varias islas del Mediterráneo. Los sultanes (musulmanes), el norte de África, Arabia y muchos estados de Medio Oriente. Ambas partes estaban dispuestas a pelear por expandir su territorio.

LAS CRUZADAS

Las Cruzadas empezaron en 1096, cuando Tierra Santa, gobernada por musulmanes, fue invadida por ejércitos católicos que, al inicio, expulsaron a los sultanes y fundaron reinos cristianos. Al contraatacar, los musulmanes

los derrotaron, en 1260, misma época en que los Polo conocieron a Kublai Khan.

Algunos líderes cristianos esperaban que los mongoles los ayudaran a combatir a los musulmanes. Otros, temían que los ejércitos mongoles intentaran invadir Europa, como lo habían hecho en Medio Oriente.

RIVALES PELIGROSOS

Lejos de allí, Kublai Khan sentía los efectos de esas guerras. Al avanzar hacia el oeste, soldados mongoles se habían enfrentado a tropas musulmanas y conquistado sus tierras. Los líderes musulmanes peleaban para recobrarlas. Ellos, al igual que los mongoles, planeaban conquistar Europa oriental. Kublai Khan esperaba que el Papa y los gobernantes cristianos de Europa se le unieran para pelear contra el creciente poder musulman.

Kublai Khan también quería saber qué pasaba en zonas del imperio alejadas de la capital, como el sur de Rusia e Irak. Los gobernantes mongoles de esas zonas codiciaban poder y con frecuencia peleaban entre ellos.

El khan pensaba que los mercaderes ambulantes serían buenos espías. También esperaba que los Polo alentaran al Papa y los gobernantes europeos a ayudarle a controlar su imperio, de ser necesario. Los Polo habían aprendido que las guerras perturban seriamente los viajes y dificultan el comercio.

Si bien no era la intención de Kublai Khan, su amistad con los Polo tuvo otro efecto muy importante, pero discreto. Aunque poco, ayudó a mejorar el conocimiento y la comprensión entre las civilizaciones del este de Asia y las de Europa occidental. Los relatos de los viajes de Marco Polo asombraron y provocaron curiosidad entre los geógrafos y cartógrafos de los siguientes siglos.

¿SABÍAS QUE...?

KUBLAI KHAN DIO PASAPORTES DE ORO AL PADRE Y AL TÍO DE MARCO POLO. CON ELLOS SE IDENTIFICABAN ANTE LOS OFICIALES Y PODÍAN EXIGIRLES OBEDIENCIA. LOS PASAPORTES SE DECORABAN CON DIBUJOS. MUCHAS PERSONAS ERAN ANALFABETAS, PERO RECONOCÍAN LOS PASAPORTES DORADOS Y ENTENDÍAN LAS ILUSTRACIONES.

Este mapa francés de Asia fue hecho muchos años después del viaje de Marco Polo. Muestra a Kublai Khan en su tienda y a los Polo a la derecha. En la época de Marco Polo no había mapas ni cartas de navegación precisas. Los relatos de sus viajes inspiraron la decoración de posteriores mapas.

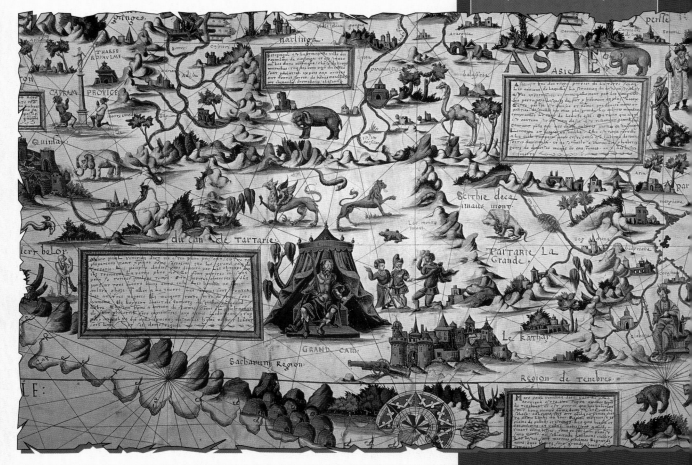

LOS PELIGROS DEL VIAJE

EL VIAJE DE MARCO POLO DE EUROPA A CHINA DURÓ MÁS DE TRES AÑOS, DURANTE LOS QUE ENCONTRÓ GRANDES OBSTÁCULOS Y PELIGROS EN EL CAMINO.

Soldados mongoles atacan una ciudad amurallada. Los guardias, sobre las murallas, les lanzan flechas y jabalinas con la esperanza de ahuyentarlos.

Un manuscrito persa del siglo XIII muestra a este grupo que viaja seguro por tierras mongolas hacia la ciudad santa de La Meca, en Arabia.

En 1271, Marco Polo, su padre y su tío consiguieron los santos óleos en Jerusalén y se dirigieron a la corte de Kublai Khan. Con ellos iban dos predicadores cristianos, muchos menos que los cien eruditos que les pidió el khan, pero pocos sacerdotes se atrevían a hacer el viaje. Los Polo también llevaban regalos de oro y cristal al khan de parte del Papa, como signos de amistad.

A pesar de que comenzaron el viaje sin problemas, a las pocas semanas ya estaban en peligro pues el gobernante musulmán de Egipto estaba atacando el sur de Turquía. Marco Polo temió por su vida y los dos sacerdotes católicos decidieron regresar a Europa. Los tres Polo siguieron adelante.

LA PAZ MONGOL

Los viajeros por Asia y Medio Oriente podían encontrarse con serios peligros: batallas, sitios, ejércitos invasores, mercenarios, salteadores y otras situaciones de guerra.

De algún modo, Marco Polo viajó en buen tiempo. El periodo de 1200 a 1300 se conoce como 'la paz mongol'. Por 1270, cuando Marco Polo hizo su largo viaje hasta China, los ejércitos mongoles habían conquistado tantas zonas en Asia Central que China y las tierras próximas eran más seguras que nunca. Las leyes de los gobernantes mongoles eran rígidas, y cerca de los pueblos y ciudades grandes había soldados listos para sofocar cualquier rebelión o crimen.

TIERRA QUEMADA

A pesar de que viajar a través de las tierras conquistadas era más seguro, no era muy agradable. La política de los mongoles era causar la mayor destrucción posible en los reinos conquistados: derribaban murallas, destruían casas y mercados, saqueaban almacenes, arrasaban los cultivos e, incluso, quemaban pueblos enteros.

Cuando Marco Polo llegó a la otrora opulenta ciudad afgana de Bactria (hoy Balkh), recientemente atacada por los mongoles, encontró que las casas estaban "destruidas y en ruinas".

Los ejércitos mongoles aterraban a la población deliberadamente para que no se rebelara. Sus soldados no tenían piedad del enemigo. Quienes se resistían a los ataques mongoles eran capturados y ejecutados. Los mongoles los decapitaban y con las cabezas construían horribles monumentos, conocidos como torres de calaveras. A los que se rendían pacíficamente al verse invadidos, se les permitía vivir bajo el férreo gobierno mongol.

Los mongoles atacaban ciudades enemigas con temibles máquinas de guerra, como esta enorme catapulta.

Esta pintura china del siglo XIII muestra a las tropas mongolas cabalgando a través de un paisaje desolador, tras conquistar el reino del Tíbet. Marco Polo señaló que los invasores mongoles dejaron muchos pueblos en el Tíbet "en ruinas y desolados".

Un antiguo barco asiático le habría parecido inestable a Marco Polo. Por fortuna, no tuvo que intervenir en ninguna batalla marítima mientras sirvió a Kublai Khan.

en las costas del Golfo Pérsico: los vientos que cruzaban el desierto estaban tan calientes y secos que los viajeros, para evitar quemarse, se sumergían en los manantiales que encontraban a su paso. Marco Polo también registró el caso de un ejército entero que murió por el calor seco y sofocante del desierto. Sus cuerpos quedaron tan secos, que se despedazaron cuando intentaron enterrarlos.

SIN COMIDA NI CASA

En la época de Marco Polo había pocos refugios para viajeros en las áreas alejadas de las ciudades, tenían que acampar en tiendas provisionales hechas de lona o acurrucarse bajo rocas o en cuevas. Debían llevar alimentos y agua, porque era frecuente que no hubiera qué comer o beber en el camino. Marco Polo prevenía a los que viajaban por el desierto de Gobi que llevaran provisiones para todo un mes.

Detenerse para pasar la noche o alimentar a los animales también era peligroso. Si no estaban alerta podían ser atacados, mientras dormían, por lobos o leones.

Los caballos podían morir por comer hierbas venenosas (abundaban en el noroeste de China) o beber agua salada. Perder caballos dejaba a los viajeros desamparados, con

NIEVE, LLUVIAS, RÍOS

El mal tiempo también afectaba los viajes. Marco Polo narró que su viaje para conocer a Kublai Khan tardó mucho porque "la nieve, las lluvias y los ríos crecidos" impedían viajar en invierno. Los fuertes vientos dificultaban el viaje y la supervivencia en los campamentos.

CALOR ASESINO

El verano también podía ser peligroso para viajar. Marco Polo describió las condiciones

Kublai Khan gobernó de 1260 a 1294. Marco Polo lo describió como un hombre de altura media, con miembros fuertes, de complexión robusta, ojos negros y una bella nariz.

En una de las islas Andaman, cerca de Sumatra, Marco Polo encontró a un grupo de personas que se alimentaba de la carne de sus prisioneros extranjeros. Marco Polo tuvo suerte de escapar de estos caníbales.

> *Los ciudadanos de Fu-chau matan al mayor número posible de enemigos en batalla, beben su sangre y se comen su carne.*

pocas probabilidades de ser rescatados antes de morir de hambre o de sed.

MAL EQUIPADOS

Marco Polo y sus compañeros tenían poco equipo para sobrevivir. No disponían de ropa o botas impermeables o de bolsas para dormir. De hecho, él, su padre y su tío se cubrían con túnicas pesadas hechas de cuero maloliente, telas aceitosas y gruesas pieles de carnero. Marco Polo decía que las personas vestidas así parecían bestias. Pero, a veces, nada resultaba suficientemente cálido. En la alta meseta de Carmania (hoy Kermān), en Persia, hacía tanto frío que, según Marco Polo, se sentía a pesar "de cualquier cantidad de pieles".

Hasta encender una fogata era complicado. No había fósforos o estufas portátiles. Los viajeros golpeaban un pedernal contra el acero para producir chispas. Reunían leña como combustible cuando podían hallarla. En un clima húmedo y frío era casi imposible hacer fuego.

¿SEGUROS EN EL MAR?

Los medios de transporte tampoco eran del todo seguros. Barcos, carretas, camellos, caballos y mulas eran impredecibles y poco confiables. Marco Polo planeó viajar a India por mar desde el puerto persa de Hormuz y de allí a China, pero desconfió de los barcos locales cuando supo que sus cascos de madera estaban cosidos con fibra de coco, en lugar de estar unidos con clavos de hierro. También se enteró de los riesgos de viajar por mar a China, incluyendo las tormentas del Océano Índico. Aterrados, los Polo volvieron a tierra firme y se adentraron en Pakistán, rumbo a la frontera con China.

COSTUMBRE CRUEL

Aunque el clima fuera templado, el terreno fácil de atravesar y la vida salvaje amistosa, las tradiciones locales podían representar un peligro inesperado. Todos los nobles mongoles descendientes de Gengis Khan eran enterrados, por tradición, en Karakorum, en Mongolia Central, aunque esto implicara transportar sus cuerpos por miles de kilómetros. Todas las criaturas vivas que se cruzaran en su camino eran sacrificadas, para que sus espíritus sirvieran al noble en el mundo de los muertos.

Los Polo tuvieron suerte. Estuvieron a punto de encontrar el cortejo fúnebre de Barak, el señor mongol del Turquestán (al oeste de China): Barak murió poco antes de 1270.

LA CORTE DE KUBLAI KHAN

Gengis Khan, el fundador del Imperio Mongol, gobernó de 1206 a 1227. Fue abuelo de Kublai Khan.

Este grabado europeo del siglo XV muestra a Marco Polo (*segundo de derecha a izquierda*) hincándose para saludar a Kublai Khan. Su tío está a su lado, mientras su padre, de pie, lo presenta ante el khan.

KUBLAI KHAN QUERÍA QUE EL IMPERIO MONGOL ESTUVIERA BIEN ORGANIZADO Y, AYUDADO POR MARCO POLO, APRENDIÓ MUCHO SOBRE SU IMPERIO.

Ningún extranjero podía entrar a China sin ser notado, y los tres Polo fueron recibidos por oficiales enviados por Kublai Khan 40 días antes de que llegaran a la corte. Los oficiales reales escoltaron a los Polo como huéspedes de honor en la última etapa de su largo viaje.

> **66** *Con todo derecho es llamado el Gran Khan, pues ningún hombre desde Adán ha gobernado a tantos súbditos o tan vasto territorio, y ningún gobernante antes que él ha poseído tanto poder ni tantos tesoros.* **99**

Por fin, los Polo llegaron al palacio de Kublai Khan, en Shang-Tu (China). Fueron recibidos con "buenos ánimos… con júbilo… y les hicieron fiesta". Fueron presentados ante el khan, quien les pidió que le contaran acerca de su viaje. Ellos le entregaron los regalos que llevaban de parte del Papa y los santos óleos de Jerusalén. Kublai Khan quedó encantado y los invitó a quedarse en la corte.

'SEÑOR DE SEÑORES'
En su libro, Polo explicó que el título 'khan' significa 'Señor de señores'. Kublai Khan había nacido en 1215 y conoció a Marco Polo a los 60 años, en 1275, cuando se hallaba en la cúspide de su reinado. Se había probado como soldado y estaba por ganar una larga guerra que le daría el control de China.

UNA RICA HERENCIA
Gengis Khan, abuelo de Kublai Khan, fundó el Imperio Mongol y conquistó un vasto territorio que abarcaba desde Mongolia hasta el Mar Negro.

Al morir Gengis Khan, su imperio fue divido entre sus cuatro hijos. La parte oriental, gobernada por Kublai Khan, era la más grande y poderosa. Él también supervisaba las otras tres partes del imperio (Asia Central, el sur de Rusia y Medio Oriente).

DESTINO: GOBERNAR
Pero Kublai Khan era más que un simple guerrero. Le interesaba una amplia gama de temas, desde la filosofía hasta la caza mayor. Su madre, una mujer notable llamada Sorghagtani Beki, se aseguró de que aprendiera a leer y escribir, a diferencia de sus ancestros mongoles. Como buen administrador, mantenía un firme control de su imperio y de las tradiciones. El khan reclutaba consejeros extranjeros, como los Polo, para que el imperio se beneficiara aprovechando

VIDA DE KUBLAI KHAN

1215
Nace Kublai Khan.

1253
Kublai Khan lleva a los mongoles a conquistar Yunnan, en el sureste de China.

1259
Kublai Khan pelea con su hermano por el derecho a ser el siguiente emperador mongol. Gana y se autoproclama 'Gran Khan'.

1271
Traslada la capital de Mongolia (Karakorum) a China (Dadu). Asume el título de 'Emperador de China'.

1279
El ejército de Kublai Khan completa la conquista de China. Fundación de la dinastía Yuan, que remplaza a la dinastía china Sung.

1277-1287
El ejército de Kublai Khan conquista Vietnam y Birmania.

1294
Muere Kublai Khan.

Marco Polo narró que Kublai Khan era atendido por 12 000 nobles, llamados keshikten. Cada noble recibía finas túnicas y cinturones de oro como símbolo de su rango.

Los oficiales de Kublai Khan colectaban la décima parte de la tela producida en el imperio para dar ropa a las familias pobres. Juntaban grandes reservas de granos para alimentar a la gente pobre de la capital: más de 30 000 tazones de arroz o mijo cada día.

sus conocimientos. También empleaba astrónomos y magos de India y el Tíbet, que afirmaban poder manipular el clima y predecir el futuro.

TRADICIONES

Las tradiciones mongolas no eran como las de sus vasallos. Su vida nómada se basaba en la caza, la cría de animales y la guerra. Los chinos eran muy distintos, su antigua y avanzada civilización se basaba en ciudades y granjas; amaban las ciencias y el arte muy refinado. Las artes y las diversiones mongolas eran rudas y exuberantes. La sociedad china, de organización estricta,

respetaba a sus ancestros y a los varones. En las familias mongolas, más relajadas, las mujeres tenían gran poder.

Con la ayuda de su madre, Kublai Khan aprendió a manipular a los chinos sin incitarlos a la rebelión. Les permitió conservar su antigua cultura y modo de vida, siempre y cuando obedecieran a los oficiales mongoles.

GRANDES PALACIOS

Como huésped del palacio real, Marco Polo quedó estupefacto ante el espléndido estilo de vida del khan. Tenía dos palacios principales: uno en Dadu (hoy Beijing), para el invierno, y otro en Shang-Tu (al norte de China), para el verano. Ambos eran grandes y suntuosos. El palacio de invierno estaba en lo alto de una colina y rodeado por dos murallas (por privacía y seguridad) y hermosos parques. Por dentro estaba decorado con oro y plata. Por fuera, con tallados y pinturas en rojo, amarillo y azul. Marco Polo decía que el número de habitaciones era inaudito y que en el salón principal cabían 6000 huéspedes sentados. El palacio de verano también era impresionante. Su forma estaba basada en la tienda mongola tradicional, pero hecho de los materiales más caros: sus paredes eran de

Kublai Khan tenía cuatro esposas oficiales y numerosas esposas menores. No se sabe cuántos hijos tenía, pero Marco Polo calculaba que eran unos 50. La esposa favorita del khan, Chabi, era una de sus consejeras. Lamentablemente, Zhen Jin, el hijo favorito del khan, murió muy joven.

bambú dorado y laqueado, sujeto con cuerdas de seda.

En cada palacio, Kublai Khan andaba sobre alfombras valiosas y se sentaba en tronos de seda. Sus cuartos privados estaban revestidos con fibras sedosas y pieles de tigre. Vestía espléndidas túnicas de oro, bordadas de seda y salpicadas de joyas. Esposas, cortesanos y servidores también vestían con lujo y, para entretenerse, tenía músicos, narradores, magos, visitantes foráneos y un león adulto domesticado.

CENTROS DE PODER

Los palacios de Kublai Khan eran más que espléndidas casas. También eran centros de poder donde el khan recibía a líderes del ejército y altos oficiales para planear nuevas campañas. Recibía

informes de jefes de policía, guardias, mensajeros, carteros, recaudadores de impuestos, supervisores de mercados y oficiales encargados del dinero, las pesas y las medidas; supervisaba el avance de sus proyectos de construcción favoritos, como el Gran Canal que uniría Dadu con las ricas tierras de cultivo en el sur de China.

Kublai Khan empleaba cazadores, rastreadores, halconeros y mozos de cuadra en sus expediciones de cacería al norte de China, en las que mataban miles de animales.

De acuerdo con Marco Polo, a Kublai Khan le gustaba cazar. A veces, usaba guepardos amaestrados, que llevaba en ancas con él para perseguir y atrapar diferentes tipos de venados en los parques que rodeaban su palacio de verano en Shang-Tu.

> " *El khan debía su trono a su espíritu, su valentía y su inteligencia superior.* "

EXPLORADOR DEL IMPERIO

MARCO POLO TRABAJÓ 17 AÑOS PARA KUBLAI KHAN; DURANTE ESE TIEMPO VISITÓ MUCHOS LUGARES DEL IMPERIO MONGOL, Y ELABORÓ INFORMES DETALLADOS SOBRE LAS COSAS QUE VIO.

En el oeste de China y en el Tíbet, Marco Polo conoció hábiles magos, como esta mujer. Decían ser capaces de controlar el clima, precipitar lluvias y truenos con sólo desearlo. En Yunnan, al sureste de China, Marco Polo encontró chamanes que decían curar a sus pacientes con magia.

Kublai Khan quería saber todo sobre su imperio y para eso empleó extranjeros, como Marco Polo, para que se encargaran de sus asuntos y le trajeran informes sobre sus tierras. Confiaba más en los extranjeros que en la gente de las tierras conquistadas.

Marco Polo se percató del enojo del khan con los oficiales que no le entregaban informes detallados de las personas y los lugares que habían visto en sus misiones, así que, cuando Kublai Khan le pidió que hiciera un viaje de trabajo para él, se aseguró de observar y recordar todas las cosas interesantes que vio.

CURIOSIDADES

Kublai Khan estuvo muy complacido con el informe de Marco Polo. Después, éste presumía de siempre ser enviado "en misiones especiales y de traer noticias, novedades y curiosidades". Entre las curiosidades había desde serpientes antropófagas (quizá cocodrilos), al sur de China, hasta acróbatas que bailaban en templos de India.

Recordando su larga carrera al servicio del khan, Marco Polo escribió que sus viajes duraban meses, incluso años, y que visitó el Tíbet,

Los guerreros mongoles usaban caballos entrenados, pero no sirvieron contra los elefantes de guerra cuando invadieron Birmania. Los caballos salieron huyendo.

el sur de China, Laos, Birmania, Vietnam, Bengala (el actual Bangladesh y tierras aledañas) y la costa este de India.

INTERÉS HUMANO

A dondequiera que iba, Marco Polo tomaba nota del gobierno, las religiones, las casas y los alimentos locales.

En Hangzhou, el principal centro comercial del sur de China y la ciudad más grande del mundo en ese tiempo, vio peras enormes de hasta 4.5 kilogramos de peso, "blancas como masa, por dentro, y muy fragantes". También vio melocotones amarillos y blancos.

TÉCNICA Y COMERCIO

Marco Polo describió los diferentes modos en que la gente se ganaba la vida, además de la tecnología y el dinero que usaban. También examinó los productos raros y valiosos que vendían, y solía comentar sobre las apariencias y las costumbres que le eran desconocidas.

En el sur de China se aterrorizó al conocer personas que comían carne humana y "toda clase de bestias".

Kublai Khan mandó plantar moreras por los caminos principales de su imperio. Guiaban a los viajeros y alimentaban a los gusanos de seda. Su corteza se usaba para hacer papel.

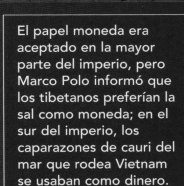

El papel moneda era aceptado en la mayor parte del imperio, pero Marco Polo informó que los tibetanos preferían la sal como moneda; en el sur del imperio, los caparazones de cauri del mar que rodea Vietnam se usaban como dinero.

Marco Polo escribió que muchos mercaderes europeos iban a comerciar a la corte de Kublai Khan. En Dadu había hostales separados para franceses, alemanes e italianos.

En el sur de China, Marco Polo debió haber visto a los granjeros pasar agua de los canales de riego a los arrozales con una cadena sin fin, inventada en China por el año 100 d.C. Dos hombres la movían parados en los pedales y las paletas de madera de esta cadena subían continuamente agua desde el arroyo hasta el campo.

Marco Polo había visto tatuajes en Europa; pero quedó asombrado por los tatuajes de cuerpo completo en Laos: cubrían cada milímetro de la piel.

LA VIDA DIARIA

Siempre que podía, Marco Polo informaba sobre la vida diaria de la gente. Observaba a todo mundo: granjeros, artesanos, sacerdotes, jueces y reyes. En India conoció a los yoguis, que llevaban un estilo de vida puro y simple, y decían vivir hasta 150 años.

Marco Polo también se fijó en el rango y el nivel social. Por ejemplo, en Laos, hombres y mujeres se tatuaban: toda su piel estaba cubierta con dibujos de leones, dragones y aves. Marco Polo explicó que los tatuajes simbolizaban nobleza y belleza; era un proceso muy doloroso y algunos morían por la pérdida de sangre.

CREENCIAS EXTRAÑAS

Marco Polo informó sobre creencias y costumbres que le eran desconocidas. En India, por ejemplo, se enteró de que estornudar era mal presagio y que ciertas horas del día eran de mala suerte. En algunos distritos indios, se esperaba que las esposas y sirvientes de un difunto se suicidaran cuando éste moría. En China le sorprendió ver figuras de papel de casas, caballos y otros objetos valiosos que se quemaban en los funerales,

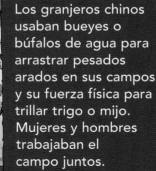

Los granjeros chinos usaban bueyes o búfalos de agua para arrastrar pesados arados en sus campos y su fuerza física para trillar trigo o mijo. Mujeres y hombres trabajaban el campo juntos.

KUBLAI KHAN EMPLEABA MILES DE MENSAJEROS PARA MANTENERSE EN CONTACTO CON LAS PARTES MÁS DISTANTES DE SU IMPERIO. LLEVABAN MENSAJES URGENTES A PIE O A CABALLO, FORMANDO CADENAS DE RELEVOS QUE CUBRÍAN HASTA 400 KILÓMETROS EN UN DÍA.

> *En Catay todos ponen su nombre en la puerta de su casa, el de cada miembro de la familia, y cuántos caballos poseen; así, el gobernador de cada ciudad sabe cuántos viven allí.*

para que el espíritu de la persona muerta los pudiera 'tener' en el otro mundo.

AMBIENTES

Marco Polo memorizaba los detalles del ambiente local –paisajes, vegetación, clima, vida salvaje y cultivos útiles. En el sur de China observó vastos campos de jengibre y arroz. En India vio algodón, caña de azúcar y especias desconocidas en Europa.

En Sumatra halló monos y orangutanes. En Birmania le asombraron los elefantes y bueyes gigantes. En India admiró panteras y loros, y dijo que no había "vista más grata en el mundo".

Marco Polo dijo que el aire de las montañas entre China y Birmania era "malsano y pestilente" y el clima del sur de India "apenas tolerable"; aseguraba que el agua de ciertos ríos era tan caliente que se podía hervir huevos en ella. En la región del Golfo Pérsico conoció casas con ventilación especial que hacía circular corrientes de aire fresco durante el calor más agobiante.

IMPERIO Y NEGOCIOS

Marco Polo reportaba a Kublai Khan cómo estaba su imperio. Quizás espiaba a otros oficiales. En su libro cita protestas y revueltas contra el gobierno del khan. Quizá se debieran a los altos impuestos sobre los productos más importantes del imperio. Carbón vegetal, sal, azúcar, vino de arroz y otros bienes daban ganancias de más de 15 millones de monedas de oro al año, lo que hizo muy rico a Kublai Khan.

REGRESO A CASA

Tras 17 años en Asia, los Polo pidieron permiso a Kublai Khan para volver a Europa. El khan aceptó a regañadientes y les pidió que escoltaran a una princesa mongola, Kokachin, a Medio Oriente, donde se casaría con un gobernante mongol. La vía terrestre estaba bloqueada por la guerra, así que los Polo viajaron por mar. Abordaron juncos chinos, que eran de las naves más avanzadas, pues su casco estaba dividido por mamparos que formaban compartimentos herméticos. Además, los navegantes chinos usaban brújulas, aún desconocidas en Europa. Incluso así, el viaje fue desastroso. La flota tardó 18 meses en cruzar el Mar del Sur de China, pasar las islas de Indonesia y Malasia, dar vuelta al extremo sur de India y, por fin, llegar a puerto seguro en el Golfo Pérsico. Marco Polo informó que, de 600 pasajeros, sólo sobrevivieron 18, incluyendo los tres venecianos.

¿VERDAD O MENTIRA?

En su libro, Marco Polo no menciona los fuegos artificiales del año nuevo chino; pero describió las fiestas de año nuevo en la corte de Kublai Khan.

La Muralla China es un monumento enorme; la cantería que los visitantes admiran es parte de los arreglos iniciados hacia 1480 d.C.

MARCO POLO DESCRIBIÓ LO QUE VIO EN SUS VIAJES, PERO, DURANTE AÑOS, MUCHAS PERSONAS SE HAN PREGUNTADO SI VIO TODO CUANTO ASEGURÓ HABER VISTO.

Durante su vida, Marco Polo fue acusado de ser un jactancioso exagerado. Luego de que regresó a Venecia, le pusieron *Marco il Milione*: 'Marco, el millón'. El apodo quizá se refería a su gran riqueza o al hecho de que era 'Marco, el del millón de mentiras'.

Por siglos, después de la muerte de Marco Polo, en 1324, grandes historiadores, geógrafos, viajeros y exploradores han estudiado detenidamente su libro en busca de claves que permitan probar, si los relatos son verdad o mentira. Existen tres puntos a debatir.

Primero, Marco Polo no hace mención de cosas obvias o útiles acerca de China para el viajero actual. Por ejemplo, no dice nada con respecto del té ni de la Muralla China, entre otras cosas.

> 66 *Éste es un relato claro y ordenado de lo que contó el sabio y noble veneciano Marco Polo sobre las cosas que vio y algunas cosas que no, pero que le fueron contadas por gente honesta.*
> RUSTICELLO 99

Segundo, Marco Polo no emplea muchas palabras en chino en su libro. Prefiere los nombres turcos o mongoles para la gente y los lugares que dice haber visitado.

Tercero, su texto existe en diferentes versiones, las cuales presentan cambios en ciertos detalles.

EXPLICACIONES

De hecho, casi todos los puntos tienen explicación. En la época de Marco Polo, la Muralla China estaba en ruinas y no se veía muy impresionante. La muralla había sido construida para detener a los invasores, pero no había funcionado, así que no fue digna de comentario.

Quizá Marco Polo no mencionó el té, pues estaba más interesado en el vino, que menciona con frecuencia. Como oficial viajero, no comía con

En el viejo y bullicioso puerto croata de Curzola los Polo tenían una casa-tienda. La tradición croata dice que Marco Polo nació aquí, pero no hay documentos que lo prueben.

En su libro, Marco Polo no mencionó el té; pero sí otros alimentos y bebidas desconocidos en Europa, como el puerco crudo, la salsa de soya, la carne de camello, los cocos, dátiles, kumiz (leche de yegua fermentada, preferida por los mongoles), savia de palmera y vino de arroz.

Aprender a escribir los caracteres chinos requiere años. Marco Polo afirmaba haber estudiado cuatro lenguas en sus viajes, pero parece que nunca aprendió a leer o escribir el chino.

de romance y elaborados detalles, aunque fueran exageraciones. Además, el texto de Rusticello fue tan popular que se copió a mano más de 150 veces. Cada copista añadía detalles de su invención para mejorar la historia original o para hacerla más entretenida. El original de Rusticello se perdió y no hay modo de compararlo con las copias.

VERDAD... ¿PROBABLE?

A pesar de ciertos puntos, muchos historiadores creen que las descripciones y relatos de Marco Polo son, esencialmente, ciertos. Pocos documentos confirman detalles de su vida, pero su libro contiene información sobre muchos lugares que hubiera sido difícil de inventar sin haber viajado tanto. Recordemos que en su época no había periódicos, radio o televisión que difundieran palabras e imágenes por todo el mundo.

Además, salvo el orgullo, no tenía motivo para mentir. El libro no le dio ganancias. Aún más, incluso afirmó en su lecho de muerte que era verdad. Cuando un cura le pidió confesar sus pecados para no ir al infierno, negó haber inventado detalles de sus relatos. Por el contrario, orgulloso, dijo: "He contado sólo la mitad de lo que vi."

frecuencia con familias chinas, que era donde se bebía té: Marco Polo describió posadas y vinaterías. También habló de grandes fiestas en el palacio del khan, donde probó especialidades mongolas, como la leche de yegua.

Marco Polo no empleó muchas palabras chinas, pues no conocía la lengua. Sin embargo, hablaba turco y mongol. Es natural que haya usado los nombres turcos de los lugares, mismos que los gobernantes mongoles podían entender.

Sobre las versiones contradictorias de su libro, hay que considerar que cuando Rusticello puso por escrito sus relatos, el público esperaba leer historias llenas

En el testamento de Marco Polo hay mínimas pistas de sus viajes.

Preguntas y controversias

Muchos aspectos de los viajes de Marco Polo son controvertidos y se prestan a discusión. Las siguientes cuestiones serán útiles para iniciar un debate con tus amigos y compañeros.

1 ¿Por qué crees que Marco Polo, a los 17 años, aceptó dejar su casa para viajar a una tierra desconocida al otro lado del mundo?

2 ¿Qué parte de su viaje de tres años hasta China crees que fue más peligrosa?
- El viaje a través del Mar Mediterráneo hasta Medio Oriente.
- El camino en el calor abrasador junto al Golfo Pérsico.
- Escalar las montañas Pamir.
- La cabalgata a través de las llanuras de Asia Central.
- Cruzar el desierto 'encantado' de Takla Makan.

3 ¿Por qué crees que Kublai Khan recibió a los Polo y otros extranjeros en su corte?

4 Si fueras un mercader de Medio Oriente, ¿cómo afectarían tu vida Kublai Khan y su ejército mongol, a miles de kilómetros de distancia?

5 ¿A qué peligros se habrá enfrentado Marco Polo como embajador itinerante del Gran Khan?

6 Si fueras un chino que viviera en las ciudades conquistadas por Kublai Khan, ¿qué pensarías de las siguientes disposiciones del gobierno mongol?
- Ningún cargo para sabios chinos.
- Puertas y murallas resistentes.
- Nuevos gobernantes que no entiendan la civilización china.
- Brigadas de bomberos entrenados.
- Caminos, canales y puentes nuevos para llevar mercancías.
- Agentes de gobierno extranjeros.
- Impuestos elevados.
- Ayuda a las familias pobres, con el pago de los impuestos.

7 ¿Crees que el papel moneda mongol fue un buen invento o eran mejores las monedas?

8 ¿Por qué Marco Polo se fijó cuidadosamente en todo lo que veía?

9 ¿Por qué Marco Polo y otros viajeros creían relatos fantásticos, como el de águilas que juntaban diamantes?

10 ¿Por qué crees que Marco Polo quería irse de China y regresar a Europa en 1292?

11 Si Marco Polo estuviera vivo, ¿adónde crees que viajaría y por qué?

12 ¿Resumirías la vida de Marco Polo en 12 palabras o menos?

EN ESA ÉPOCA

En la época de Marco Polo existían lugares y culturas desconocidos para los europeos, en los que se desarrollaban acontecimientos también de gran importancia.
Tal es el caso de las culturas mesoamericanas.

Veamos.

1200 Surge Zempoala, la nueva capital totonaca, en el centro del actual estado de Veracruz.

1250 Florece el centro político y religioso de Mayapán, en la península de Yucatán.

1258 Ejércitos mongoles toman Baghdad, la ciudad musulmana más poderosa.

1260 Kublai Khan se declara emperador de China y funda la dinastía Yuan.

1267 Los aztecas o mexicas celebran el tercer fuego nuevo, fin y principio de un ciclo de 52 años, en Tecpayocan (al norte de la actual ciudad de México).

1280 Conducidos por Huitzilíuitl I (el Viejo), los aztecas o mexicas ocupan Chapultepec, en otro de sus varios intentos por asentarse en la zona que posteriormente dominaron.

1290 El poeta Dante Alighieri (Florencia, 1265) compone lo que será una obra maestra, la *Vita Nuova*.

1291 La octava y última Cruzada, que emprendió en 1270 Luis IX de Francia, fracasa; los católicos abandonan Tierra Santa.

1294 Muere Kublai Khan.

1300 Osman I funda el Imperio Otomano en Medio Oriente.

1300 Época de esplendor de Mitla y Monte Albán (actual estado de Oaxaca), bajo la influencia mixteca.

1325 Los aztecas o mexicas fundan Mexico-Tenochtitlan, futura capital de su vasto imperio.

Una batalla en las Cruzadas.

● Cristóbal Colón tenía un ejemplar del libro de Marco Polo y lo leyó con cuidado antes de partir de Europa en 1492.

Descubre cómo han sido recordados algunos de sus logros.

● Marco Polo ha aparecido en estampillas de correos de muchos países, incluyendo Canadá, Australia, San Marino e Italia.

● Una raza poco común de ovejas con cuernos largos, de Asia Central, son conocidas como ovejas 'marco polo'.

● El compositor chino-estadounidense Tan Dun hizo una ópera sobre los viajes de Marco Polo. Fue estrenada en 1996. En Croacia se presentó, en 2001, un musical sobre Marco Polo.

● La marca de automóviles Mercedes Benz fabrica un modelo "Marco Polo", diseñado para viajes largos.

● Los comerciantes internacionales usan la 'Red de Negocios Marco Polo' en Internet para contactar a compradores y vendedores en lugares distantes.

● El gobierno de la República Popular de China y el Voluntariado de Naciones Unidas han creado el Premio Marco Polo. El premio es otorgado cada año al hombre o la mujer que 'continúen con el espíritu de buena voluntad de Marco Polo' en el comercio o las relaciones internacionales.

● En su libro, Marco Polo describió un espléndido puente de piedra cerca de Beijing, decorado con 485 leones tallados. Hoy en día, es una atracción turística popular que lleva su nombre.

● Un grupo croata de rock compuso una canción en honor de Marco Polo.

● Muchas agencias de viajes, hoteles, restaurantes y tiendas de mercancías de tierras lejanas llevan el nombre de Marco Polo.

● El aeropuerto internacional de Venecia, que está conectado con las ciudades más importantes de Italia y de Europa, recibe el nombre de Marco Polo.

A TRAVÉS DE LOS AÑOS

Aunque muchos de sus contemporáneos pusieron en tela de juicio si Marco Polo visitó realmente todos los lugares que afirmaba, sus aventuras han inspirado, hasta el día de hoy, a muchos de los más grandes exploradores, viajeros, escritores y músicos.

Conoce cómo algunos de sus logros han sido recordados.

GLOSARIO

ADMINISTRADOR: persona que dirige o supervisa.

ALIANZA: vínculo de poder entre dos personas o grupos con un fin común.

ASTRÓLOGO: persona que afirma predecir el futuro estudiando los astros.

BIZANCIO: ciudad cuyos gobernantes controlaban un imperio en Europa Oriental y Medio Oriente. Hoy se llama Estambul.

BUDISMO: fe religiosa surgida de las enseñanzas de Gautama Buda.

CAMBISTAS: personas que negocian con diversos tipos de moneda.

CANÍBAL: persona que se alimenta de carne humana.

CAPARAZONES DE CAURÍ: corazas brillantes y coloridas de ese molusco.

CETRERÍA: actividad relativa al entrenamiento, cuidado y caza con halcones.

CHAMANES: sacerdotes que curan con magia.

COBALTO: metal del que se obtiene una tintura azul.

COPISTA: persona que transcribe manuscritos.

CRISTIANO: quien cree en las enseñanzas de Jesucristo.

DÁTILES: frutas dulces de cierto tipo de palmeras.

DESOLADOR: que causa extrema aflicción.

DINASTÍA: sucesión de gobernantes de una misma familia.

DORADO: que tiene una capa de oro o su color.

ERUDICIÓN: cualidad del estudioso o sabio.

ESPEJISMOS: imágenes de objetos inexistentes (como charcos de agua), producidas cuando se doblan los rayos de luz al pasar a través de capas de aire caliente y seco.

EXÓTICO: de cualidades extrañas o raras.

EXPEDICIÓN: viaje largo con un propósito específico.

EXUBERANTE: abundante, jubiloso y entusiasta.

FILOSOFÍA: disciplina que busca los principios de todo el saber.

FÍSICO: estructura del cuerpo de las personas.

GRAN MURALLA CHINA: enorme fortificación construida alrededor de 200 a.C. para proteger el norte de China de invasiones.

HALCONERO: persona que cuidaba de los halcones de la cetrería.

HOSTERÍAS: posadas, lugares de descanso.

INTENSO: enérgico, que requiere gran esfuerzo.

INTÉRPRETE: persona que traduce y explica el significado de diversas lenguas.

ISLAM: la fe religiosa de los musulmanes.

JABALINAS: lanzas ligeras usadas en guerra o para cacería.

JÚBILO: alegría.

KHAN: título usado por los gobernantes mongoles.

KURDO: pueblo que habita en territorios de Turquía, Irán, Iraq y Siria actuales.

LAQUEADO: cubierto con barniz.

MALARIA: enfermedad con resfriado y fiebre causada por un parásito transmitido por mosquitos.

MAMPARO: pared que divide el casco de un barco en dos compartimentos herméticos.

MERCADERES: personas cuyo trabajo es vender y comprar productos.

MERCANCÍA: algo útil o valioso, sujeto a compra y venta.

MESETA: área plana a gran altura.

MIJO: grano comestible.

MONGOLES: pueblo asiático originario de Mongolia.

MONJES: religiosos que viven en un monasterio.

MUSULMANES: personas que siguen las enseñanzas de Mahoma y la fe del islam.

NOBLE: persona nacida en una familia aristócrata.

NÓMADAS: personas que no viven en un solo lugar y que desplazan sus casas de un lugar a otro.

NOVEDADES: cosas nuevas o inusuales.

OASIS: áreas verdes y fértiles en medio del desierto.

PAPA: líder de la Iglesia Católica Apostólica Romana.

PASAPORTE: documento oficial con el que los viajeros prueban su identidad y nacionalidad.

PEDERNAL: piedra plana que produce una chispa al ser golpeada.

PERSPICACIA: capacidad de poner atención y descifrar las cosas.

PESTILENTE: de olor desagradable.

RIVALIDAD: enemistad, competencia.

ROC (O RUKH): gigantesca ave legendaria mencionada en el libro de Marco Polo y en *Las mil y una noches*, una famosa colección de relatos de Medio Oriente.

RUSTICELLO: escritor de obras fantásticas que redactó la primera versión del libro sobre los viajes de Marco Polo.

SAQUEO: lo que es robado durante un tiempo de disturbios.

SEPULCRO: construcción funeraria, generalmente de piedra, que se levanta sobre el suelo para enterrar uno o varios cadáveres.

SULTÁN: príncipe o gobernador de un estado musulmán.

TAPARRABO: tela usada en climas cálidos que sólo cubre el pubis y los glúteos.

TRILLADO: separación de la semilla de la planta.

VENECIANO: de la ciudad italiana de Venecia o relativo a ella.

YOGUI: santo de India que practica yoga.

PARA SABER MÁS

LIBROS

Broussalis, Martín, *Marco Polo para jóvenes principiantes*, Editorial Longseller, 1999.

Colli, Maurice, *Marco Polo*, Colección Brevarios, Fondo de Cultura Económica, México, 1987.

Dalrymple, William. *Tras los pasos de Marco Polo*, Ediciones B, México, 1992.

Degre, Jean Pierre, *Marco Polo y la Ruta de la Seda*, Ediciones B, México.

Germain, C., *Marco Polo y su época*, México, Editorial Anaya, México, 1997.

Larner, John, *Marco Polo y el descubrimiento del mundo*, Ediciones Paidós.

Polo, Marco, *El libro de las maravillas*, colección El nuevo libro de bolsillo, Alianza Editorial, México.

Polo, Marco, *El libro de las maravillas*, Editorial Punto de lectura, México.

Polo, Marco, *El millón*, colección El nuevo libro de bolsillo, Alianza Editorial, México.

Polo, Marco, *Los viajes de Marco Polo*, Editores Mexicanos Unidos, México.

Polo, Marco, *Los viajes de Marco Polo*, Editorial Porrúa, México.

Polo, Marco, *Los viajes de Marco Polo*, Editorial Susaeta, México.

Romana, Muriel, *Marco Polo, la novela*, Ediciones B, México.

Romana, Muriel, *Marco Polo, La caravana de Venecia*, Ediciones B, México.

PÁGINAS DE INTERNET

Marco Polo. Protagonistas de la historia
http://www.artehistoria.com/frames.htm
http://www.artehistoria.com/historia/personajes/5467.htm
http://www.geocities.com/TheTropics/Bay/3416/personajes/marcopolo.html

Marco Polo. Biografía
http://canalsocial.net/biografia/biografiacontenido.asp?nom=POLO,%20MARCO

Marco Polo
http://morsa-scout.tripod.com/ http://webs. sinectis.com.ar/mcagliani/marco.htm